Empfangs- und Wohnräume.

Es ist eine dem eigentlichen Behagen und teilweise dem Luxusbedürfnisse dienende Raumgruppe, die der vorliegende Band behandelt. Ein farbiges, abwechslungsreiches Bild ergibt sich. Hat doch beispielsweise beim Empfangsraum und bei der Wohndiele die moderne Architektur mit Vorliebe alles entfaltet, was sie zur Erzielung gefälliger Schmuckwirkung oder an kräftig-behaglichen Raumeindrücken aufzubieten vermochte.

* * *

Der Empfangsraum ist das immer noch neutrale Gebiet, auf dem sich Gast und Hausherr zunächst begegnen. Er hält daher die Mitte zwischen dem Draußen und dem Drinnen, zwischen Erwartung und Erfüllung, und muß sich von der intimeren Stimmung der eigentlichen Wohnräume deutlich unterscheiden: Repräsentation, konventionelle gesellschaftliche Haltung bilden seine Merkmale. Die Ausstattung sollte möglichst wenig an den alltäglichen Betrieb des Hauses erinnern; hier auf neutralem Boden ist eine gewisse kühle, vornehme Festlichkeit angebracht, daher sparsame Möblierung mit Objekten von reicherer Ausstattung und künstlerischem Wert, unter strengster Berücksichtigung guter architektonischer Gesamtwirkung. Je nach dem Charakter des Raumes eine festliche oder ruhige Wand- und Bodenbehandlung. Gemälde, Radierungen, Plastiken, Gobelins spielen eine bedeutende Rolle, im übrigen Spiegel, Vitrinen, formschöne Beleuchtungskörper, vornehm wirkende Einzelmöbel und Sitze.

Wesentlich intimer ist schon die Wohndiele, da sie ja durchaus zu längerem Verweilen bestimmt ist. Sie ist Mittelpunkt und „Herz" des Hauses, muß daher das ganze Behagen zeigen, das zu entfalten den Bewohnern möglich ist. Warme Farbentönung in Holzbekleidung oder Wandbespannung und Möbeln ist hier von großer Wichtigkeit. Alle Gegenstände sollen gebrauchstüchtig und auf die Überdauerung von Generationen angelegt sein: Heiterkeit mit Gediegenheit und Wohlstand vereinigt. Alles, was hier gezeigt wird, muß persönlichen Ausdruck haben und über die Bewohner Aufschluß geben. Hier darf sich neben dem Neuen auch das Familienerbe zeigen. Kräftige Formen, solide Konstruktionen sind vorherrschend. Die Grundrißgestaltung muß — ein Punkt, der häufig übersehen wird — in der Anordnung der Tische und Sitze der Gruppenbildung günstig sein.

In der bürgerlichen Wohnung wird der Empfangsraum nicht immer in der Hauptsache der Repräsentation dienen. Es wird häufig zugleich die Funktion des Musikzimmers oder des Damenzimmers erfüllen. Je nach dieser Doppelbestimmung wird sich seine dekorative Behandlung und seine Möblierung zu richten haben.

Das Musikzimmer gibt dem Geschmack des Einzelnen einen ziemlich weiten Spielraum. Es erlaubt fast jede Art der Ausgestaltung sowohl nach der heiteren wie nach der ernsten Seite hin. Im allgemeinen freilich wird, da hier doch immerhin die Kunst heimisch sein soll, die ernstere Auffassung vorwiegen. Daraus ergeben sich dann je nachdem dunkeltonige oder weiß behandelte Hölzer an Möbeln und entsprechenden Vertäfelungen, in großen ruhigen Flächen auftretend, denn ruhig und der Sammlung zuträglich muß der Musikraum immer sein, auch wenn er aus einer heiteren Auffassung herstammt. Große linienschöne Ornamente (Schnitzerei, Wandverkleidung, Teppich, farbige Fensterverglasung zur Abschließung der Außenwelt) sind der Wirkung der Musik allemal günstig; aus dem gleichen Grunde sei man sparsam in der Anbringung von Skulpturen und Gemälden im Musikraum. Zu vermeiden ist jede Überfüllung mit Möbeln oder Zierat. Wichtig ist auch hier möglichster Komfort der Sitzgelegenheiten: Sessel, Erkerbänke, Sofas.

Beim Damenzimmer ist das Gebiet des unentbehrlichen Nutzraumes schon etwas überschritten. Mit Recht lebt sich in ihm daher der Schmucktrieb aus. Die Möbel werden leichte, gefällige Formen zeigen; keine schweren Stützen, keine großen Abmessungen, keine monotonen Flächen. Dementsprechend werden auch hier meist helltonige Hölzer verwandt werden: Birke, Ahorn, Kirschbaum, Birnbaum; vielfach aber auch Mahagoni, Palisander, Makassar- und Ebenholz, sowie Nußbaumholz in nicht allzudunkler Bearbeitung. Da das Damenzimmer die Stimmung heiteren Behagens und gefälligen Wohllebens tragen soll, liegt der Hauptton der Möblierung auf gemütlichen, bequemen Sesselarrangements, Erkerplätzchen, Fenstersitzen usw. Für die dekorative Ausstattung werden feine, leichte Stoffe in zarten Tönen, ferner Stickereien: Kissen usw. und anmutige Drapierungen: Gardinen usw. zu wählen sein. In allen Einzelheiten, auch im Wandschmuck, der Ausstattung des Schreibtisches usw. sollte der gutgeschulte, kritiksichere persönliche Geschmack der Dame des Hauses hervortreten, sollte zum Ausdruck gebracht sein, daß dies das Reich einer Dame ist.

Im allgemeinen ist zu sagen, daß es sich bei dieser Gruppe von Räumen um freiere Gestaltungen handelt, in denen zum Teil ein gewisser Luxus nicht nur gezeigt werden kann, sondern sogar gezeigt werden soll. Um so wichtiger ist hier die Belehrung durch gute oder doch wenigstens ausdrucksvolle und somit anregende Beispiele. Der Herausgeber kann und will sich freilich nicht mit jeder einzelnen der hier gebotenen Raumlösungen ohne weiteres einverstanden erklären, wenn auch wohl in jeder von ihnen wenigstens irgend ein guter praktischer Gedanke enthalten sein dürfte. Wohl aber erhebt er den Anspruch, alle für die heutige moderne Innen-Ausstattung Deutschlands charakteristischen, reicheren oder einfacheren Richtungen hier vorgeführt zu haben und zwar in hervorstechenden Beispielen ihrer ausgezeichnetsten und hervorragendsten Vertreter.

Den Gesamtansichten sind hier noch zahlreiche Raumausschnitte und Einzelmöbel hinzugefügt, um die gegebenen Hinweise noch weiter zu belegen.

Darmstadt, im April 1914.

ALEXANDER KOCH.

ARCH. FERDINAND GÖTZ—MÜNCHEN.
MARMOR- U. STUCK-KAMIN IN NEBENST. SALON.

ARCHITEKT FERDINAND GÖTZ.
SALON. MAHAGONI. VORHÄNGE GOLDGELB.

ENTWURF: ARCHITEKT FERDINAND GÖTZ—MÜNCHEN.

SALON MIT SOFA-NISCHE. REICHE STUCKARBEIT UND WANDMALEREI.

MUSIKZIMMER IN EINEM LANDHAUSE, MÖBEL SCHWARZ POLIERT NUSSBAUMHOLZ.

ENTWURF: HEINRICH STRAUMER—BERLIN.

3

ARCHITEKT CARL WITZMANN—WIEN.
EMPFANGSZIMMER. WAND MARMOR UND STUCK.

4

ARCHITEKT CARL WITZMANN—WIEN.
EMPFANGSRAUM. AUSFÜHRUNG: LUDWIG SCHMITT.

PROFESSOR OTTO PRUTSCHER—WIEN. OVALER SALON, UNTEN WANDPARTIE MIT SCHMUCKSCHRÄNKCHEN.

PROFESSOR OTTO PRUTSCHER - WIEN.
FENSTERSEITE DES NEBENSTEHENDEN SALONS.

EMPFANGS-HALLE MIT GROSSEM KAMIN.
HOTEL »VIER JAHRESZEITEN«-HAMBURG.

EMPFANGSZIMMER. MÖBEL NUSSBAUMHOLZ POLIERT MIT ROTEN BEZÜGEN. WÄNDE HELLGRÜN, MARMORKAMIN.

PROFESSOR PETER BEHRENS.—NEUBABELSBERG.

2

ARCHITEKT FRITZ AUGUST BREUHAUS—DÜSSELDORF.
WOHNZIMMER EINES LANDHAUSES AM NIEDER-RHEIN.

ENTWURF: ARCH. FERD. GÖTZ—MÜNCHEN.
SCHRÄNKCHEN IN EINEM DAMENZIMMER.

PROFESSOR PAUL SCHULTZE-NAUMBURG. KAMIN-NISCHE MIT VITRINE.

KARL
KLAUS-
WIEN.
»SALON«

AUSFÜHRUNG:
A. WERTHEIM-
BERLIN.

ARCHITEKTEN THEODOR VEIL & GERHARD HERMS · MÜNCHEN

EMPFANGS-SALON IN EINEM VORNEHMEN RESTAURANT

ARCH. BRÜDER LUDWIG—MÜNCHEN-BOZEN. HOTEL »KÖNIG LAURIN«
IN BOZEN. OVALER EMPFANGS-SALON. TÄFELUNG WEISS LACKIERT.
MÖBEL KIRSCHBAUMHOLZ. BEZÜGE ERDBEERFARBEN. TEPPICH BLAU.

PROF. FRANZ VON STUCK—MÜNCHEN.
BLICK VOM EMPFANGSRAUM IN DEN MUSIKSAAL.

EMPFANGS-RAUM I. D. VILLA STUCK—MÜNCHEN.
ENTWURF VON PROFESSOR FRANZ VON STUCK.

PROFESSOR FRANZ v. STUCK—MÜNCHEN.
SALON-MÖBEL: MAHAGONI UND VERGOLDETE BRONZE.

PROFESSOR FRANZ v. STUCK—MÜNCHEN.
LEHNSTUHL UND TISCH AUS DEM EMPFANGSRAUM.

ENTW: ARCH. FERD. GÖTZ—MÜNCHEN.
EMPFANGSRAUM MIT EINGEBAUTEN VITRINEN.

ARCHITEKT
M. ZÜRCHER-
FLORENZ.

EMPFANGS-
RAUM IN DER
VILLA RIPOSO
DEI VISCOVI-
FLORENZ.

ARCHITEKT MAX ZÜRCHER—FLORENZ.
WOHNZIMMER IN DER VILLA RIPOSO DEI VISCOVI.

ARCHITEKT MAX ZÜRCHER—FLORENZ.

VILLA DEI VISCOVI—FLORENZ. GROSSER MUSIK- UND KONVERSATIONSSAAL.

INO A. CAMPBELL—MÜNCHEN.
EMPFANGSRAUM EINES LANDHAUSES.

ARCHIT. PETER BIRKENHOLZ—MÜNCHEN.
SALON. MAHAGONI. AUSFÜHRUNG: J. KELLER—ZÜRICH.

ARCH. PETER
BIRKENHOLZ.

AUSFÜHRUNG: J. KELLER—ZÜRICH. MÖBEL: MAHAGONI POLIERT MIT HELLBLAUEN DAMASTBEZÜGEN. WAND SEIDE.

PROF. EMANUEL V. SEIDL—MÜNCHEN. EMPFANGS-SALON.
WAND HELL-LILA UND BLAU. VORHÄNGE ROSENFARBEN.

ENTWURF:
ARCHITEKT
E. J. WIMMER-
IN WIEN.

WOHN- U.
MUSIK-
ZIMMER
WIEN.

MÖBEL SCHWARZ EICHENHOLZ. WEISSE TAPETE MIT AUFSCHABLONIERTEN RANKEN. MÖBELBEZÜGE UND FLÜGELDECKE: DRUCKSTOFFE DER WIENER WERKSTÄTTE.

ARCH. PETER
BIRKENHOLZ.
AUSFÜHRUNG:
J. KELLER.

DAMEN-
ZIMMER.
SOFAWAND
U. FENSTER.

AUSFÜHRUNG DER MÖBEL IN HELLEM BIRKENHOLZ. STÜHLE MIT SCHNITZEREI. WANDBESPANNUNG UND BEZÜGE CRETONNE. VORHÄNGE UND LAMPENSCHIRM ROHSEIDE.

ARCHITEKT PETER BIRKENHOLZ—MÜNCHEN. AUSFÜHRUNG: J. KELLER—ZÜRICH. SCHRÄNKCHEN UND VITRINE IM DAMENZIMMER. HELLGELBE BIRKE. WAND CRETONNE. VORHÄNGE ROHSEIDE.

ARCH. P. WÜRZLER-KLOPSCH. DAMENZIMMER.
VITRINE IN ZITRONENHOLZ. BESCHLÄGE VERGOLDET.

PAUL WÜRZLER-KLOPSCH. DAMENZIMMER.
SCHREIBTISCH UND SESSEL. BEZÜGE SILBERGRAU.

ARCHITEKT PAUL WÜRZLER-KLOPSCH—LEIPZIG. DAMENZIMMER. MAHAGONI. AUSF: C. MÜLLER & CO.—LEIPZIG.

ARCHITEKT CARL WITZMANN-WIEN.
MARMORKAMIN-ANLAGE IM EMPFANGSZIMMER.

ARCHITEKT INO A. CAMPBELL—MÜNCHEN.
WOHNDIELE MIT BLICK INS SPEISEZIMMER. EICHENHOLZ
M. SCHNITZEREI. AUSF: PÖSSENBACHER WERKSTÄTTEN.

ENTW: ARCH. INO A. CAMPBELL—MÜNCHEN.   WOHNHALLE EINES LANDHAUSES MIT BLICK ZUR BIBLIOTHEK. VERTÄFELUNG MIT SCHNITZEREI. STUCK-FRIES. AUSFÜHRUNG: PÖSSENBACHER WERKSTÄTTEN.

ARCHITEKT INO A. CAMPBELL—MÜNCHEN.   KAMIN-NISCHE IN DER VORSTEHENDEN WOHNDIELE.

ARCH. INO
A. CAMPBELL.
TISCH UND
SESSEL DER
VORSTEHEND.
WOHNDIELE.

ENTWURF: ILSE DERNBURG—BERLIN. WOHNZIMMER AUF DEM DAMPFER
»IMPERATOR« AUSF: HERRMANN GERSON—BERLIN. GRAU SCHLEIFLACK.

PROFESSOR EDMUND KÖRNER—DARMSTADT.

»MUSIKRAUM« DEKORATIVES GEMÄLDE: HANNS PELLAR—DARMSTADT.

MÖBELHAUS HERRMANN GERSON—BERLIN.
KAMIN-ECKE IN EINEM BESUCHS-ZIMMER.

ARCHIT. HEINRICH STRAUMER—BERLIN. WOHNHALLE IM HAUSE H. H.-DAHLEM. EICHEN-VERTAFELUNG. TREPPENGELÄNDER MIT SCHNITZEREI. ORNAMENT. MUSCHELKALK-KAMIN. STUCKDECKE.

ENTWURF: CAMPBELL & PULLICH. DAMEN-ZIMMER.
ECK-ARRANGEMENT U. DEKORATION DES FENSTERS.

PROFESSOR EMANUEL VON SEIDL—MÜNCHEN.

WOHNZIMMER. DUNKEL MAHAGONI. AUSF: M. BALLIN—MÜNCHEN.

DAMENZIMMER MIT WANDMALEREI.

ARCH. PROF. EMANUEL VON SEIDL. MALEREI PROF. LEO PUTZ—MÜNCHEN.

ARCH. FR. AUG. BREUHAUS·DÜSSELDORF.
WOHNDIELE MIT KAMINPLATZ IN EINEM LANDHAUS.

ARCHITEKT INO A. CAMPBELL. AUSF: A. PÖSSENBACHER—MÜNCHEN.

MUSIKRAUM MIT SCHREIBZIMMER IM »GRAND HOTEL CONTINENTAL«—MÜNCHEN.

PROFESSOR
E. v. SEIDL.
MÜNCHEN.

MUSIKZIMMER
BLICK AUF DIE
ORGELSEITE.

WERKSTÄTTEN B. STADLER—PADERBORN. ENTWURF: M. HEIDRICH.

MUSIKZIMMER MIT HALBRUNDEM FENSTERSITZ.

KAMINPLATZ EINES WOHNZIMMERS. AUSF: H. ASCHBACHER—ZÜRICH.

ARCHITEKTEN RITTMEYER & FURRER—WINTERTHUR.

PROF. FRANZ v. STUCK—MÜNCHEN.
SOFAWAND IN NEBENSTEHENDEM MUSIKSAAL.

MUSIKSAAL MIT DEKORATIVEN MALEREIEN IN DER VILLA STUCK.

PROFESSOR FRANZ VON STUCK—MÜNCHEN.

ARCH. P. RENNER. AUSF: C. MÜLLER—BERLIN.
OVALES MUSIKZIMMER. MÖBEL IN EBENHOLZ.

PROF. EMANUEL v. SEIDL. MUSIKSAAL MIT ORGELEMPORE. TÄFELUNG EBENHOLZ. BEZÜGE ROT U. ROSENFARBEN. AUSF: VEREIN. WERKSTÄTTEN FÜR KUNST IM HANDW.—MÜNCHEN.

ARCHITEKT PAUL WÜRZLER-KLOPSCH-LEIPZIG.
MUSIKZIMMER. VERTÄFELUNG PALISANDER UND EBENHOLZ.

LEIPZIGER WERKSTÄTTE: ARCHITEKT PAUL WÜRZLER-KLOPSCH. OVALES MUSIK-
ZIMMER. VERTÄFELUNG PALISANDER UND EBENHOLZ. BEZÜGE GRÜNE SEIDE.

49

ENTW. U. AUSFÜHR.: PORTOIS & FIX A.-G. — WIEN.
FENSTERPARTIE EINES GESELLSCHAFTS-ZIMMERS.

ENTW. U. AUSF.: PORTOIS & FIX A.-G. — WIEN.
GESELLSCHAFTSRAUM EINES JAGDSCHLOSSES.

PROF. WILL. LOSSOW & MAX HANS KÜHNE—DRESDEN.
MUSIK- UND WOHNZIMMER MIT WEISSER VERTÄFLUNG.

PROF. FRITZ SCHUMACHER. MUSIKZIMMER. PALISANDERHOLZ. MÖBELSTOFFE: SCHWARZ MIT GOLD. BESPANNUNG: VIOLETT U. SCHWARZ. AUSF.: I. A. EYSSER—BAYREUTH.

PROFESSOR
E. V. SEIDL.

MUSIKZIMMER.

PROFESS. EMANUEL VON SEIDL — MÜNCHEN. FENSTERWAND DES OBENSTEHENDEN MUSIKZIMMERS. AUSFÜHRUNG: VEREINIGTE WERKST. F. K. I. HANDW. A.-G. — MÜNCHEN.

ARCHIT. PAUL WÜRZLER-KLOPSCH — LEIPZIG. MUSIKZIMMER.
MAHAGONI UND EBENHOLZ. BEZÜGE IN GOLDBRAUN SEIDE.

MUSIKZIMMER IM LANDHAUS V. SEIDL.—MURNAU.

PROFESSOR EMANUEL VON SEIDL.—MÜNCHEN.

ARCHITEKT FRITZ AUGUST BREUHAUS — DÜSSELDORF. EMPFANGS- UND WOHNZIMMER IN EINEM LANDHAUS AM NIEDERRHEIN. MÖBEL DUNKEL MIT REICHER SCHNITZEREI.

ENTW. U. AUSF.: CARL MÜLLER & COMP. — LEIPZIG.
MUSIKDIELE. MÖBEL U. VERTÄFELUNG: PADUKHOLZ.

ENTWURF UND AUSFÜHRUNG: CARL MÜLLER & COMP. — LEIPZIG.
KAMIN U. FENSTERPARTIE IN NEBENSTEHENDEM RAUM. PADUKHOLZ.

ARCHITEKT HEINR. STRAUMER — BERLIN.
MUSIKSAAL. VERGLASUNG, ENTW. M. PECHSTEIN.

FENSTERPARTIE IM MUSIK-ZIMMER SEINES LANDHAUSES IN MURNAU.

PROFESSOR EMANUEL VON SEIDL—MÜNCHEN.

PROF. W. LOSSOW & M. H. KÜHNE—DRESDEN.

WARTEZIMMER IM HAUSE EINES ARZTES.

ARCHITEKTEN PROFESSOR WILLIAM LOSSOW & MAX HANS KÜHNE—DRESDEN.

EMPFANGSZIMMER.

ARCH. PAUL WÜRZLER-KLOPSCH — LEIPZIG.   MUSIKZIMMER-MÖBEL MAHAGONI UND EBENHOLZ.   BEZÜGE GOLDBRAUN SEIDE.

ARCH. PAUL
WÜRZLER-
KLOPSCH.

NOTEN-
SCHRANK
U. SESSEL.

63

ARCH. DAGOBERT PECHE — WIEN.
ACHTECKIGER EMPFANGS-RAUM.

64

PROFESSOR ADELBERT NIEMEYER—MÜNCHEN.

WOHNZIMMER. AUSF: DEUTSCHE WERKSTÄTTEN F. HANDWERKSKUNST—HELLERAU.

PROFESSOR
ADELBERT
NIEMEYER-
MÜNCHEN.

WOHNZIMMER
MIT ERKER.

BLICK ZUM ERKERPLATZ. RINGSUMLAUFENDE VERTÄFELUNG UND DECKE WEISSLACKIERT. MÖBEL EICHENHOLZ. BEZÜGE UND VORHÄNGE BUNT GOBELIN. SOFA UND SESSEL LEDER.

PROFESSOR A. NIEMEYER — MÜNCHEN. AUSF.: DEUTSCHE WERKSTÄTTEN — MÜNCHEN.

WOHN-DIELE MIT EINGEBAUTER ALTER ORGEL.

ARCHITEKT FERDINAND GÖTZ—MÜNCHEN.
DAMENZIMMER MIT EINGEBAUT. WANDSCHRÄNKEN.

FRITZ AUG. BREUHAUS — DÜSSELDORF.
FENSTERWAND EINES WOHN-ZIMMERS

ARCHITEKT HEINR. STRAUMER — BERLIN.   WOHNHALLE MIT GROSSEM KAMIN.

ARCHITEKT HEINRICH STRAUMER—BERLIN.

BLICK IN DIE WOHNHALLE. AUSFÜHRUNG: CARL MÜLLER & COMP.—LEIPZIG.

ARCHITEKT HEINR. STRAUMER — BERLIN.　　WOHNHALLE.　MÖBELSTOFFE: ENTW. HERTA KOCH—DARMSTADT.

ARCHITEKTEN GREVE & HAMBURGER. STÄNDERLAMPE: EICHEN. SCHRANK: BIRKE MIT EBENHOLZ UND ELFENBEIN-EINLAGEN.

ARCHITEKTEN GREVE & HAMBURGER — CHARLOTTENBURG. SOFA U. SESSEL MIT GOBELIN-BEZÜGEN U. GESTICKTEN KISSEN.

PROF. JOSEF
HOFFMANN
WIEN.

SOFA-NISCHE
IN EINER
WOHNHALLE.

ENTWURF: ARCHITEKT L. K. BEER — WIESBADEN. GROSSE WOHNHALLE EINES SCHLOSSES.

ARCHITEKT ROBERT ÖRLEY — WIEN. WOHNZIMMER IN EINEM LANDHAUSE.

ARCHITEKT MARIUS AMONN U. HEDWIG AMONN.   WOHNZIMMER MIT ARBEITSTISCH DER FRAU.

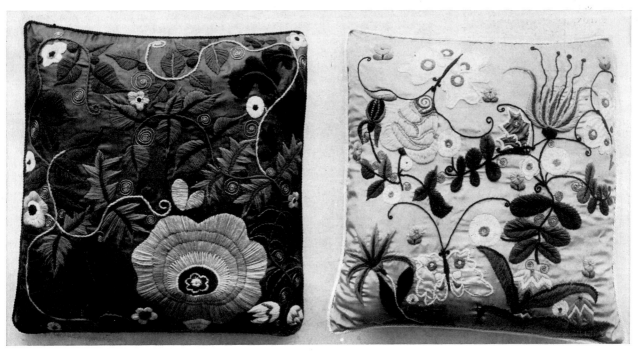

ENTWURF UND AUSFÜHRUNG: FRAU MELITTA LÖFFLER—WIEN. KISSEN MIT BUNTER WOLLSTICKEREI AUF SEIDE.

ARCHITEKT
K. BRÄUER-
WIEN.
EMPFANGS-
SALON.

FARBEN:
GELB, BRAUN,
ROTGELB.

ARCHITEKT PROFESSOR JOSEF HOFFMANN—WIEN.

DAMENSALON. MÖBEL IN GEBOGENEM HOLZ. BUNTE DRUCKSTOFFE.

ENTWURF: M. HEIDRICH. AUSFÜHRUNG: BERNARD STADLER—PADERBORN.   DIELE IN PADUKHOLZ.

SCHREIBTISCH.

ARCHITEKT
DAG. PECHE-
WIEN.

WERKSTÄTTEN BERNARD STADLER—PADERBORN. DIELE. PADUKHOLZ. STOFFE: WURZNER TEPPICH- U. VELOURS-FABRIK.

K. R. HENKER—CHARLOTTENBURG. DAMENZIMMER. ZITRONENHOLZ. STOFFE RÖTLICH-GRAU. AUSF: NEUMANN & BUNAR.

WERKSTÄTTE BERNARD STADLER—PADERBORN. SOFA-ECKE IN EINEM WOHNZIMMER.

ARCHITEKT LEO NACHTLICHT—CHARLOTTENBURG.   WOHNZIMMER MIT KLEINEN VITRINEN.

ARCHITEKT LEO NACHTLICHT—CHARLOTTENBURG. WOHNZIMMER, SOFA UND SESSEL MIT GOBELINBEZÜGEN.

ARCHITEKTEN THEODOR VEIL U. GERH. HERMS—MÜNCHEN.
DAMENZIMMER. EIBENHOLZ M. SCHNITZEREI IN NUSSBAUM. BEZÜGE BESTICKT.

ARCHITEKTEN THEODOR VEIL & GERHARD HERMS - MÜNCHEN.
DAMENZIMMER, POLIERTES EIBENHOLZ. SCHNITZEREI IN NUSS-
BAUM. BEZÜGE: SEIDENRIPS MIT FARB. SEIDEN - STICKEREI.

ALEXANDER SCHROEDER.   SALON. AUSF: VEREINIGTE WERKSTÄTTEN.

THEODOR VEIL UND GERHARD HERMS. DAMENZIMMER. EIBENHOLZ MIT SCHNITZEREI IN NUSSBAUM. BEZÜGE BESTICKT.

ARCH. PROF. WILLIAM LOSSOW U. MAX HANS KÜHNE—DRESDEN. WOHNZIMMER.
KIRSCHBAUMHOLZ MIT SCHNITZEREI. BUNTE STOFFE. WEISSE VERTÄFELUNG.

ENTWURF: PAUL LANG—STUTTGART.　　　　　　　　FENSTERPARTIE IN EINEM BÜRGERLICHEN WOHNZIMMER.

ARCHITEKT CARL WITZMANN—WIEN.　PLAUDER-ECKE IN EINEM DAMEN-SALON.

THEODOR VEIL UND GERH. HERMS. DAMENZIMMER. SCHREIBTISCH-ECKE. EIBEN-
HOLZ MIT SCHNITZEREI IN DUNKEL NUSSBAUM. BEZÜGE MIT STICKEREI IN SEIDE.

ARCHITEKTEN THEODOR VEIL U. GERH. HERMS. DAMENZIMMER. BEZÜGE
DUNKELBRAUN SEIDENRIPS MIT STICKEREI. VORHÄNGE GRÜNE SEIDE.

PROFESSOR EMANUEL von SEIDL—MÜNCHEN.
BEZÜGE TIEFBLAU U. WEISS. VORHÄNGE HELLBLAU U. ROSA.

MÖBEL-HAUS HERRMANN GERSON—BERLIN.
WOHNZIMMER MIT ALTEN MÖBELN IN KIRSCHBAUMHOLZ.

ENTW: LOTTE KLOPSCH. AUSF: W. DITTMAR—BERLIN. BÜRGERL. WOHN- UND ARBEITSZIMMER. BESTICKTE BEZÜGE.

ARCHITEKT KARL SIEBRECHT — HANNOVER. GROSSE WOHNHALLE EINES HERRENHAUSES. KAMINECKE. GRAUBRAUN GEBEIZTE HOLZVERTÄFELUNG. ROTBRAUNE STOFFE.

ARCHITEKT KARL SIEBRECHT—HANNOVER. WOHNHALLE EINES HERRENHAUSES. SCHNITZEREIEN. ENTWURF: L. VIERTHALER—HANNOVER. KACHELOFEN. AUSF: E. TEICHERT—MEISSEN.

ARCHITEKT GUSTAV GOERKE—BERLIN.
SCHREIBTISCH-ECKE. BIRNBAUM SCHWARZ POLIERT.

ENTWURF UND AUSFÜHRUNG: PAUL REDELSHEIMER—BERLIN. EMPFANGSRAUM. MÖBEL IN EICHENHOLZ POLIERT.

ARCHITEKT EDUARD PFEIFFER—BERLIN.　　　　　EMPFANGSRAUM. AUSF: PÖSSENBACHER WERKSTÄTTEN.

ENTWURF UND AUSFÜHRUNG: HOFMÖBELFABRIK M. BALLIN—MÜNCHEN. WOHNZIMMER-ECKEINBAU. EICHENHOLZ MIT INTARSIEN.

ARCHITEKTEN J. HELMKE & W. FRIEDE. EMPFANGSRAUM IN GEFLAMMTEM BIRNBAUMHOLZ. AUSFÜHRUNG: HEIM & GERKEN.

ARCHITEKT HERMANN A. E. KOPF—FRANKFURT. SCHREIBTISCH IN EINEM DAMENZIMMER.

HERMANN A. E. KOPF—FRANKFURT. SCHRANK IN PALISANDER MIT INTARSIEN.

AUSF: A. WERTHEIM—BERLIN. DAMEN-SCHREIBTISCH. HERMANN A. E. KOPF. VITRINE. MAHAGONI POLIERT.

ARCHITEKT C. R. ASHBEE—LONDON.   WOHNRAUM EINES ENGL. HERRENHAUSES.

PROF. PETER BEHRENS—NEUBABELSBERG-BERLIN.   TEERAUM M. EINGELASSENEN ORIGINAL-ZEICHNUNGEN
                                                 IN DER DEUTSCHEN BOTSCHAFT IN ST. PETERSBURG.

ATELIERS UND WERKSTÄTTEN FÜR
ANGEWANDTE KUNST—MÜNCHEN.

DAMENZIMMER IN BIRNBAUMHOLZ. ENT-
WURF: FRITZ SCHMOLL VON EISENWERTH.

SCHREIBTISCH
IN OBENSTEH.
DAMEN-
ZIMMER.

ARCHITEKT P. L. TROOST-MÜNCHEN.
»DAMENZIMMER« ECKSCHRANK UND FENSTER.

ARCH. P. L. TROOST-MÜNCHEN.
»DAMENZIMMER« SCHREIBTISCH-ECKE.

PROFESSOR ADELBERT NIEMEYER—MÜNCHEN. DAMENZIMMER. AUSF: DEUTSCHE WERKSTÄTTEN—MÜNCHEN.

ARCHITEKT HUGO HAERING—HAMBURG.   EMPFANGSRAUM. AUSF: VEREINIGTE WERKSTÄTTEN.

AUS OBIGEM
EMPFANGS-
RAUM.

AUSFÜHRUNG:
VEREINIGTE
WERKSTÄTTEN.

ARCHITEKT J. BREUER—WIEN. EMPFANGSZIMMER. MÖBEL SCHWARZ POLIERT. WAND: GELBE MOIRÉBESPANNUNG.

PROFESSOR OTTO GUSSMANN—DRESDEN. EMPFANGSRAUM. AUSF: DEUTSCHE WERKSTÄTTEN.

ARCHITEKTEN MORLEY HORDER & A. WYAND.   WOHNZIMMER MIT KAMINSITZ.

HANS BEATUS WIELAND—MÜNCHEN. FENSTERPARTIE EINES DAMENZIMMERS IN WIESBADEN.

ARCHITEKT LEOPOLD BAUER—WIEN.
DAMENZIMMER. ERKER. KELLER & REINER-BERLIN.

ARCHITEKT PAUL LUDW. TROOST—MÜNCHEN.
SCHREIBTISCH UND FENSTERPARTIE EINES DAMENZIMMERS.

ALBERT GESSNER—CHARLOTTENBURG.
DAMENZIMMER, GRAU LACKIERT UND GESCHLIFFEN.
VERGOLD. AUSF: »WERKHAUS«-CHARLOTTENBURG.

LLOYD-DAMPFER: GEORGE WASHINGTON. KAISER-KABINE. ENTW: R. A. SCHRÖDER.
AUSF: VER. WERKST. F. KUNST I. HANDW. MÖBEL ROT PADUK M. VIOLETT AMARANT.

ARCHITEKT PAUL LUDWIG TROOST—MÜNCHEN.   HALBRUNDE KOMMODE MIT SCHNITZEREI IN EINEM DAMENZIMMER.

ARCHITEKT THEODOR VEIL—MÜNCHEN. ZIERKOMMODE IN EINEM REPRÄSENTATIONSRAUM. SCHNITZEREI
VON GEORG RÖMER—MÜNCHEN. AUSF: A. PÖSSENBACHER—MÜNCHEN.

PAUL LUDWIG TROOST—MÜNCHEN. TISCH UND SCHREIBTISCH MIT SCHNITZEREI. AUSF; GEORG SCHÖTTLE—STUTTGART.

ENTWURF: H. VÖLCKER—WIESBADEN. TISCH. BIRKENHOLZ POLIERT. AUSFÜHRUNG: AD. DAMS—WIESBADEN.

FENSTERSEITE DES SALONS EINES LANDHAUSES.

ARCHITEKT FRITZ AUGUST BREUHAUS—DÜSSELDORF.

RUD. ALEXANDER SCHROEDER.
POSTAMENT UND STUHL MIT SCHNITZEREI.
AUSF: VER. WERKST. F. KUNST IM HANDW.

ARCHITEKT CESAR B. POPPOVITS. ERKER IM EMPFANGSZIMMER EINES JAGDSCHLOSSES. AUSFÜHRUNG: H. IRMLER—WIEN.

KAMINPLATZ EINES SALONS. KAMINMANTEL NUSSBAUMHOLZ MIT MARMOR. SESSEL BROKAT.

ARCHITEKT
AD. NIEHAUS-
BREMEN.

OBEN:
EMPFANGS-
SALON.

ZIERSCHRANK
IM SALON.

PROFESSOR ALBIN MÜLLER—DARMSTADT. AUSF: LOUIS FUGE.   WOHNZIMMER. NUSSBAUM MIT INTARSIA. WAND GRÜN.

H. TESSENOW-
HELLERAU.
WOHNZIMMER.

AUSFÜHRUNG:
DEUTSCHE
WERKSTÄTT.
F. KAUFHAUS
A. WERTHEIM-
BERLIN.

PROFESSOR EMANUEL von SEIDL—MÜNCHEN.
DAMENZIMMER, HELL MAHAGONI, AUSF.: BALLIN-MÜNCHEN

PROFESSOR J. HOFFMANN — WIEN.
DAMEN-ZIMMER, DIE MÖBEL WEISS LACKIERT.

114

PROFESSOR JOSEF HOFFMANN — WIEN.
SALON. VITRINEN WEISS LACKIERT. MÖBEL IN EICHE

ARCH. C. KUEBART. ENTW. U. AUSF.: A. BEMBÉ — MAINZ.
WOHN- UND EMPFANGS-RAUM MIT ANSCHLIESSENDEM WINTER-GARTEN.

ARCHITEKT K. KUEBART. ENTWURF UND AUSFÜHRUNG: A. BEMBÉ — MAINZ.

WOHN- UND EMPFANGS-RAUM. KAMINWAND.

ARCH. RITTMEYER & FURRER — WINTERTHUR.   WOHNZIMMER MIT AUSGEBAUTEM ERKER.

ENTWURF: LUCIAN BERNHARD—BERLIN. AUSFÜHRUNG: DEUTSCHE WERKSTÄTTEN-HELLERAU. WOHNZIMMER, KIRSCHBAUM POLIERT.

ARCH. FRITZ AUGUST BREUHAUS—DÜSSELDORF.
KAMIN-NISCHE EINES WOHN- U. EMPFANGS-ZIMMERS. STUCKDECKE.

FENSTER - NISCHE IN
EINEM MUSIKZIMMER

ENTWURF: M. HEIDERICH,
INSTRUMENTEN-SCHRANK
IN OBIGEM MUSIKZIMMER.

ARCHITEKT GREVE & HAMBURGER — CHARLOTTENBURG.   KLEINES MUSIKZIMMER.

ENTWURF: L. DURM — MÜNCHEN, SOFA MIT MEDAILLONS IN HANDWEBEREI VON LOUISE POLLITZER — MÜNCHEN.

AUSF.: WERKSTÄTTEN BERNARD STADLER — PADERBORN. ENTWURF: MAX HEIDRICH. FENSTERSEITE EINES WOHNZIMMERS.

ENTW.: H. MÜNCHHAUSEN. AUSF.: W. DITTMAR — BERLIN. DAMENZIMMER IN BIRKE. BEZUGSTOFF BLAU. VORHÄNGE LIBERTY.

ARCHITEKTEN CURJEL & MOSER — KARLSRUHE.   WOHNZIMMER MIT DARANSTOSSENDEM WINTERGARTEN.

ARCHITEKT PROFESSOR CARL WITZMANN—WIEN.   FENSTERPLATZ EINES WOHNZIMMERS.

DEUTSCHE WERKSTÄTTEN FÜR HANDWERKSKUNST—HELLERAU.   WOHNZIMMER EINES JUNGGESELLEN.

ARCHIT. PAUL WÜRZLER — KLOPSCH. SCHREIBTISCH EINES EMPFANGS-ZIMMERS. PALISANDER. BEZÜGE BLAU VELVET. TEPPICH TIEFBLAU.

ARCHITEKT PROFESSOR CARL WITZMANN—WIEN. FENSTERSEITE EINES EMPFANGS-ZIMMERS MIT SCHREIBSCHRANK.

ENTWURF: PROFESSOR OTTO PRUTSCHER — WIEN.   DAMENZIMMER. MÖBEL WEISS LACKIERT MIT BLAUEN ATLAS-BEZÜGEN.

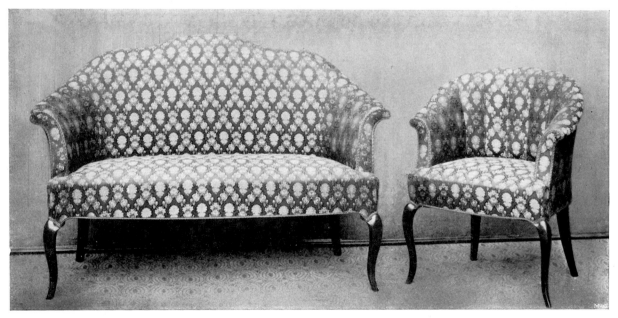

ARCHITEKT PETER DANZER — MÜNCHEN. AUSF.: VALENTIN WITT — MÜNCHEN UND CÖLN.   SOFA UND STUHL IN EINEM DAMEN-ZIMMER.

PROFESSOR O. PRUTSCHER —WIEN.
FENSTERSEITE EINES DAMEN-ZIMMERS. MÖBEL
WEISS LACKIERT MIT BLAUEN ATLASBEZÜGEN.

PROFESSOR EDMUND KÖRNER — DARMSTADT

EMPFANGSRAUM IM HAUSE H. IN ESSEN-RUHR.

FENSTERPLATZ EINES DAMENZIMMERS.

ARCHITEKT: GEH. BAURAT DR. ING. OTTO MARCH—CHARLOTTENBURG.

ARCHITEKT WILLIAM R. LETHABY—LONDON.
KAMINPLATZ IM WOHNZIMMER EINES ENGL. LANDHAUSES.

ARCHITEKT GESSNER — BERLIN.
SALON. MAHAGONI, BEZÜGE GRÜNE SEIDE.
AUSFÜHRUNG: HERMANN GERSON—BERLIN.

130

ARCHITEKT ALBERT GESSNER — BERLIN.
SALON. AUSFÜHRUNG: HERMANN GERSON — BERLIN.

131

ARCHITEKT EDUARD PFEIFFER — BERLIN.

ARCHITEKT
E. PFEIFFER
BERLIN.

AUSFÜHRUNG
POSSENBACHER
WERKSTÄTTEN
MÜNCHEN.

ARCHITEKT EDUARD PFEIFFER — BERLIN.
WANDGESTALTUNG DER WOHNDIELE EINES LANDHAUSES.

SCHREIBSCHRANK MIT INTARSIEN UND SCHNITZEREI.

ARCHITEKT EDUARD PFEIFFER — BERLIN.

PROF. JOSEF HOFFMANN—WIEN, EMPFANGSZIMMER,
BIRNBAUMHOLZ SCHWARZ GEBEIZT, AUSF.: J. SOULEK — WIEN,

ARCHITEKT G. CZERMAK—BRÜNN.
FENSTERWAND EINES EMPFANGSZIMMERS.

ENTWURF:
M. FELLER.

AUSFÜHR:
M. BALLIN-
MÜNCHEN.

SOFAWAND EINES WOHNZIMMERS. MÖBEL: WASSEREICHE MIT INTARSIEN.

ARCHITEKT ANDERS LUNDBERG—STOCKHOLM.
EMPFANGSRAUM IN EINEM HOLLÄNDISCHEN LANDHAUSE. *

ARCHITEKT ANDERS LUNDBERG—STOCKHOLM.   EMPFANGSRAUM IN EINEM HOLLÄND. LANDHAUSE.

MUSIKZIMMER IN EINEM HOLLÄNDISCHEN LANDHAUSE. AUSF. DER ORGEL: CHORALION CO.—BERLIN.

ARCHITEKT PROF. MAX LÄUGER—KARLSRUHE.

MUSIKZIMMER IN EINEM HOLLÄNDISCHEN LANDHAUSE. AUSF. DER ORGEL: CHORALION CO.—BERLIN.

ARCHITEKT PROF. MAX LÄUGER—KARLSRUHE.

PROFESSOR
E. v. SEIDL-
MÜNCHEN.

WOHNHALLE
IN EINEM
LANDHAUSE.

WOHNHALLE. KERAMIK: ENTWURF PROF. JOS. WACKERLE.

PROFESSOR EMANUEL VON SEIDL—MÜNCHEN.

ARCHIT. HEINRICH STRAUMER—BERLIN.
WOHNZIMMER MIT SCHREIBTISCH-ERKER.

PROF. ADELBERT NIEMEYER — MÜNCHEN
MUSIKRAUM IM HAUSE KRAWEHL — ESSEN

EMPFANGS-RAUM IM AUSSTELLUNGS-
HAUS RICHARD L. F. SCHULZ–BERLIN.

ENTWURF: KARL BERTSCH — MÜNCHEN.
SCHREIBPLATZ I. E. WOHNZIMMER. DEUTSCHE WERKST.

ENTWURF: KARL BERTSCH—MÜNCHEN.
SESSEL U. TISCHLAMPE. AUSF: DEUTSCHE WERKST.

ENTW: KARL BERTSCH. AUSFÜHRUNG: DEUTSCHE
WERKST. SCHRANK EINES WOHNZIMMERS IN NUSSBAUM.

ENTW: KARL BERTSCH—MÜNCHEN.
PARTIE AUS EINEM WOHNZIMMER.

ENTW: KARL BERTSCH-MÜNCHEN.
EINZELMÖBEL AUS EINEM DAMENZIMMER. *

150

ENTW: KARL BERTSCH-MÜNCHEN.
* EINZELMÖBEL AUS EINEM DAMENZIMMER.

ARCHITEKT LUDWIG HOHLWEIN.
WARTEZIMMER IM HAUSE EINES ARZTES. *

ARCHITEKT PROFESSOR CARL SIEBEN—AACHEN.　　　　KEGELSTUBE MIT KAMIN IM KLUBHAUS DER ERHOLUNGS-GESELLSCHAFT—AACHEN. FACHWERK IN ALTGRAU GEBEIZTEM KIEFERNHOLZ.

ARCHITEKT GUSTAV GOERKE—BERLIN.
KAMINPLATZ EIN. WOHNZIMMERS. PALISANDERHOLZ.

ARCHITEKT PETER BIRKENHOLZ.
AUSF: J. KELLER—ZÜRICH. MUSIKZIMMER.
SPIEGEL M. GOLDORNAM. BILDH. F. LOMMEL.

PROF. PETER BEHRENS—BERLIN.
FENSTERSEITE DES EMPFANGSRAUMS IN DER
DEUTSCHEN BOTSCHAFT IN ST. PETERSBURG.

ENTW: ARCH. ROB. ADOLPH·STEGLITZ.
SOFA·ECKE IN EINEM WOHNZIMMER.

ARCHITEKT: PROFESSOR EMANUEL VON SEIDL—MÜNCHEN. GROSSE KONVERSATIONS-HALLE DES NEUEN KURHAUSES BAD KREUZNACH. WAND GELB MARMOR, BEZÜGE BLAU, KORBMÖBEL SCHWARZ.

EMANUEL
VON SEIDL-
MÜNCHEN.

KLEINER
FREMDEN-
SALON.

PROFESSOR EMANUEL V. SEIDL—MÜNCHEN.   SOFA-NISCHE IN EINEM WOHNZIMMER.

PROFESSOR JOSEF HOFFMANN—WIEN. SOFA-ECKE IN EINEM DAMEN- UND MUSIKZIMMER.

ARCHITEKT PAUL RENNER—BERLIN.   DAMENZIMMER. BEZÜGE U. TAPETE LILA. AUSF: C. GROSS—BERLIN.

P. WÜRZLER-
KLOPSCH-
LEIPZIG.

ECKE
IN EINEM
SALON.

ARCHITEKT G. CZERMAK—BRÜNN.   WANDGESTALTUNG EINES EMPFANGSZIMMERS.

ARCHITEKT G. CZERMAK—BRÜNN. EINGEBAUTE SCHRÄNKE IN EINEM EMPFANGSZIMMER.

ENTW. U. AUSF: LUDWIG PREETORIUS—HAMBURG.   FENSTERPLATZ IN EINER EMPFANGSHALLE.

ARCHITEKT HEINRICH STRAUMER—BERLIN. BÜCHERSCHRÄNKE IN EINEM WOHNZIMMER.

ENTW: P. WÜRZLER-KLOPSCH—LEIPZIG. SCHRANK IN MAHAGONI.　　FR. AUG. BREUHAUS—DÜSSELDORF.　　GESCHN. ECKSCHRANK.

ARCHITEKT CARL WITZMANN—WIEN. MÄDCHENZIMMER EINER MIETWOHNUNG MIT STUTZFLÜGEL. BEZÜGE UND VORHÄNGE BUNT.

ENTWURF: ARCHITEKT PAUL WÜRZLER-KLOPSCH. SCHREIB-SCHRANK UND NOTEN-SCHRANK. AUSFÜHRUNG: CARL MÜLLER & CO.—LEIPZIG.

ENTWURF: P. WÜRZLER-KLOPSCH. SCHRANK IN PALISANDER. RICH. RIEMERSCHMID—MÜNCHEN. VERSTELLBARE DOPPEL-PULTE.

HOHENZOLLERN-KUNSTGEWERBEHAUS (FRIEDMANN & WEBER)—BERLIN. TEETISCH MIT REICHER SPITZENDECKE.

AUS DEN AUSSTELLUNGSRÄUMEN VON RICH. L. F. SCHULZ—BERLIN.　　　　TISCHLAMPEN FÜR EMPFANGS- U. WOHNRÄUME.

ENTWURF UND AUSFÜHRUNG: FRAU MELITTA LÖFFLER—WIEN.　　　　KISSEN IN SEIDE MIT BUNTER WOLLSTICKEREI.

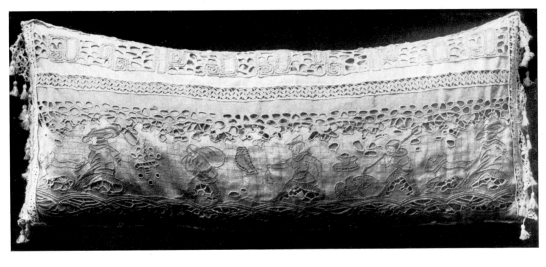

VALMATH-
PARIS.
BOUDOIR-
KISSEN.
WEISS-
STICKEREI.

ENTW: KARL BERTSCH—MÜNCHEN. SALONSCHRANK. AUSF: DEUTSCHE WERKSTÄTTEN.

LAMPEN MIT PORZELLANVASEN. AUSFÜHRUNG: RICHARD L. F. SCHULZ—BERLIN.

SACH-REGISTER.

NAMEN-VERZEICHNIS.

Werkstätten Bernard Stadler
Paderborn

Die gesamte Innenausstattung ist unser Feld. Unser Streben geht auf
ehrliche Arbeit, neuzeitlichen Geschmack und entgegen=
kommende Lieferung. — Im neuzeitlichen Geiste durch Max Heidrich
entworfene Zimmereinrichtungen; gediegen, bequem, von durchdachter
Zweckmäßigkeit und Sachlichkeit, in sich schön durch die Wirkung des
Holzes und die feinfühlig abgewogenen guten Verhältnisse der Formen.
Einzelanfertigung in verständnisvollem Eingehen auf besondere Wünsche.

Besonders preiswert: Bürgermöbel ⋅ Vollständige Zimmer für etwa 500 bis
1000 Mark ⋅ Beleuchtungskörper, Teppiche, Bezug= und Vorhangstoffe.
Auserlesenes kunstgewerbliches Kleingerät.

Neues Preisbuch T 4 Preis 1 Mark.

Lieferung frei in die Wohnung.

Berlin W 30	Bremen	Hamburg	Leipzig	Paderborn
Traunsteinerstraße 6	Georgstraße 64	Bergstraße 14	im Hause Aug. Polich	Marienplatz 12

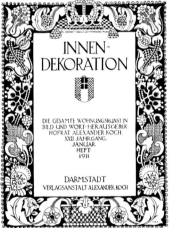

PÖSSENBACHER
WERKSTAETTEN

MÜNCHEN   BERLIN.

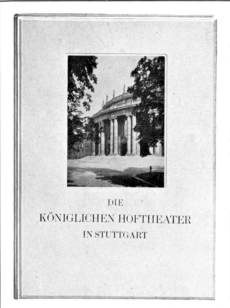

VORBILDLICHER HAVSRAT BEI:
GEORG SCHOETTLE
KÖNIGLICHE HOFMÖBELFABRIK · STVTTGART

National-Radiatoren mit Verkleidung seitlich und unterhalb des Fensters.

Arch.: Prof. Bruno Paul, Berlin.

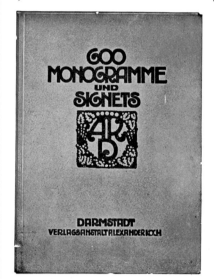

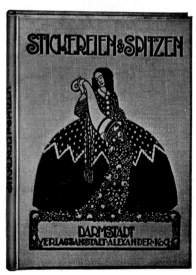